CASAMENTOS NULOS

Pe. Dr. RUBENS MIRAGLIA ZANI

CASAMENTOS NULOS

Como encaminhar uma causa
de nulidade matrimonial ao Tribunal Eclesiástico

SANTUÁRIO

Direção Editorial: Pe. Flávio Cavalca de Castro, C.Ss.R.
Pe. Carlos Eduardo Catalfo, C.Ss.R.
Coordenação Editorial: Elizabeth dos Santos Reis
Copidesque: Leila C. Diniz Fernandes
Coordenação de Revisão: Maria Isabel de Araújo
Revisão: Ana Lúcia de Castro Leite
Marilena Floriano
Diagramação: Marcelo Antonio Sanna
Capa: Bruno Olivoto

**Dados Internacionais de Catalogação na Publicação (CIP)
(Câmara Brasileira do Livro, SP, Brasil)**

Zani, Rubens Miraglia
    Casamentos nulos: como encaminhar uma causa de nulidade matrimonial ao Tribunal Eclesiástico / Rubens Miraglia Zani — Aparecida, SP: Editora Santuário, 2000.

    Bibliografia
    ISBN 85-7200-709-1

    1. Casamento - Anulação (Direito canônico) 2. Direito Canônico 3. Teologia pastoral - Brasil 4. Tribunais eclesiásticos - Brasil I. Título.

00-2473   CDD-348-412-781:348.581

Índices para catálogo sistemático:

1. Anulação: Casamento: Tribunais eclesiásticos: Direito canônico 348-412-781:348.581
2. Casamento: Anulação: Tribunais eclesiásticos: Direito canônico 348-412-781:348.581
3. Nulidade matrimonial: Tribunais eclesiásticos: Direito canônico 348-412-781:348.581

13ª impressão

Todos os direitos reservados à **EDITORA SANTUÁRIO** – 2022

Rua Pe. Claro Monteiro, 342 – 12570-000 – Aparecida-SP
Tel.: 12 3104-2000 – Televendas: 0800 0 16 00 04
www.editorasantuario.com.br
vendas@editorasantuario.com.br

APRESENTAÇÃO

Direito Canônico e Pastoral, longe de se excluírem, completam-se. Uma verdadeira pastoral, digna deste nome, não pode perder-se em fantasias ou arbitrariedades, sobretudo quando se quer uma "pastoral de conjunto". Do mesmo modo, na Igreja, uma legislação digna deste nome não pode esquecer a solicitude pelas pessoas às quais se dirige.

Estas páginas querem ser um guia essencialmente prático, que tem por finalidade responder de modo simples e claro às questões dos Srs. Párocos e demais ministros que, por dever de ofício, estão ligados à cura de almas.

Destinam-se também aos Srs. Agentes da Pastoral da Família, bem como a todos aqueles que se interessam pelo Direito Matrimonial Canônico.

Dirigem-se ainda a todos aqueles que clamam por justiça e a procuram na Igreja; estes são os mais carentes, marginalizados, sofridos, oprimidos e, muitas vezes, discriminados.

Auguramos que estas páginas sejam um instrumento tão eficaz quanto simples e que atinjam o objetivo para o qual foram escritas: favorecer o acesso de todos à justiça eclesiástica e aliviar as penas de muitos corações.

Pe. Dr. Rubens Miraglia Zani

INTRODUÇÃO

A afirmação feita pelo Papa João Paulo II de que os divorciados e recasados são membros da Igreja (em um discurso aos participantes da Assembleia Plenária do Pontifício Conselho para a Família, em 24/01/97), e de que ela os ama, lhes está perto e sofre com a situação deles, convida a todos os pastores da Igreja a acolher com amor tais casais e sugerir-lhes, com prudência e respeito, caminhos concretos para a conversão e a participação na vida da comunidade eclesial.

O cân. 1063 do CIC/83 estabelece que os pastores tomem todas as precauções necessárias para que a própria comunidade eclesial proporcione aos fiéis a assistência para que o estado conjugal "se mantenha no espírito cristão e progrida até a perfeição". É dever, portanto, do Bispo diocesano e daqueles que ele colocou à frente das comunidades paroquiais como párocos, proporcionar os meios necessários para se atingir tal objetivo (cf. cân. 1064).

A assistência pastoral dos casais separados, desquitados ou divorciados deve prever entre suas atividades um estudo jurídico de cada caso, pois pode haver a possibilidade de que tal casamento tenha sido nulo. Lamentavelmente, a maior parte do povo fiel desconhece tal realidade e arrasta penosamente uma situação matrimonial irregular, com todas as consequências morais e eclesiais que lhe são inerentes.

A nossa Câmara Eclesiástica Auxiliar, entre outros serviços, quer render-se — e já se rende — útil para a consulta e o exame de cada caso que lhe for apresentado — o que não implica necessariamente nem na nulidade de um dado matrimônio, nem num peremptório início de processo. Trata-se apenas de averiguar se existe uma possibilidade real (que deverá ser provada, a seu tempo) de que certo matrimônio seja nulo.

Antes, porém, de a Câmara receber o casal (ou um dos cônjuges) e dar um seu parecer, cumpre aos Srs. Párocos fazer uma triagem, pois existem casos cuja validade é evidente, ainda que infelizmente se tenha seguido uma separação.

O matrimônio é um negócio jurídico de caráter contratual, no qual se distinguem três elementos fundamentais: a *capacidade jurídica* dos contraentes, assegurada por todos os requisitos prescritos pela lei e, em particular, da ausência de impedimentos; a prestação de um válido *consentimento* por parte de ambos os nubentes; e a observância da *forma canônica*, segundo as modalidades estabelecidas pela Igreja.

Com o objetivo de facilitar aos Srs. Párocos o cumprimento desse dever de ofício (assim como aos Srs. Agentes da Pastoral Familiar e demais pessoas interessadas), apresentamos brevemente como é administrada a justiça na Igreja, como funcionam os tribunais eclesiásticos e também um elenco sumário dos impedimentos e vícios que rendem nulo o matrimônio, bem como a questão da forma canônica.

Em apêndice, trataremos dos casamentos dos católicos orientais e das condições para a sua validade: ministro competente, impedimentos e forma canônica.

Tal elenco poderá ser útil também para o pedido das dispensas que se fizerem necessárias, nos casos de novos matrimônios.

Apresentamos, agora, algumas noções prévias necessárias para uma boa leitura do texto:

Por *impedimento* entende-se uma circunstância externa ou uma relação pessoal que, por direito divino ou humano positivo, impede de contrair validamente o matrimônio e rende inábil a pessoa para contraí-lo, de sorte que a eventual celebração seria não apenas ilícita mas também radicalmente inválida. A Igreja mantém tais impedimentos para evitar que se possam contrair matrimônios inconvenientes ou prejudiciais. O Código de Direito Canônico estabelece doze impedimentos dirimentes.

Por se tratar de lei inabilitante (c. 15 § 1), nem a ignorância nem o erro escusam dos impedimentos que dirimem o matrimônio, ainda que este seja celebrado em boa fé.

Já o *vício* é um defeito inerente ao processo de formação da vontade de uma das partes ou da forma na celebração do matrimônio.

As causas ou os capítulos que podem tornar nulo um matrimônio são de três espécies:
— presença de impedimento;
— defeito de consentimento;
— falta de forma canônica.

A seu tempo iremos analisar cada um desses itens, mas antes queremos traçar um panorama que ilustre a atividade judicial da Igreja e o desenrolar da tramitação processual até a sua conclusão, com a sentença, bem como introduzir o leitor nas atribuições de cada um dos oficiais que servem à justiça nos tribunais eclesiásticos, seguindo a legislação da Igreja contida no Código de Direito Canônico, que é um corpo de normas jurídicas, com caráter unitário e universal, promulgado pela autoridade competente para a Igreja latina.

O Direito Canônico é um instrumento que, baseado no direito divino natural e positivo, organiza racionalmente os elementos eclesiais segundo a justiça, para que a Igreja possa cumprir mais eficazmente os fins que o seu divino Fundador lhe confiou e que estão definitivamente ordenados à salvação.

I

A FUNÇÃO JUDICIAL NA IGREJA

O direito que a Igreja tem de julgar

Juízo ou julgamento é o exame, a discussão e a decisão legítima num Tribunal Eclesiástico, de um assunto em questão de competência da Igreja (CIC/17, c. 1552). Podem ser objeto de julgamento: um fato jurídico a ser declarado (p. ex. a validade de um matrimônio ou de uma ordenação sacerdotal); direitos de pessoas físicas ou jurídicas a serem defendidos (p. ex. uma controvérsia entre duas pessoas ou entidades); exame de um delito para definir se é o caso de declarar ou impor uma pena (p. ex. uma excomunhão *ferendae sententiae* a ser declarada ou uma suspensão a ser imposta); uma causa de beatificação de um servo de Deus ou de canonização de um beato.

1. Os Tribunais Eclesiásticos (os Tribunais da Igreja)

Como norma, cada Bispo Diocesano pode ter seu Tribunal, que se chama de 1ª instância (c. 1419). Uma vez que esse tribunal de 1ª instância decide a questão que lhe tem sido proposta, pode alguém não estar contente ou de acordo com a decisão, ou precisar legalmente que a decisão seja confirmada por um Tribunal Superior. Então se apela para o Tribunal Metropolitano, que chamamos de 2ª instância (c. 1438).

Todavia pode fazer falta uma outra instância para resolver certas questões. Para esses casos temos em Roma o Tribunal da Rota Romana (c. 1443). Acima desses tribunais, como órgão que supervisiona a administração de justiça da Igreja, existe também em Roma o Tribunal Supremo, chamado Signatura Apostólica. Ainda é necessário expor que vários bispos podem unir-se e constituir para todas as suas dioceses um único tribunal de 1ª instância. São chamados Tribunais Interdiocesanos. É o que acontece no Brasil, onde há 22 tribunais de 1ª instância, correspondendo às 16 regiões pastorais da CNBB, mais Brasília, Vitória, Aparecida, Sorocaba e Campinas, e 12 Tribunais de Apelação em 2ª instância, que são os próprios Tribunais Regionais que servem de 2ª instância para seus vizinhos[1].

2. Ofícios e funções existentes nos Tribunais
(as pessoas que trabalham nos Tribunais)

Em cada Diocese existe um Vigário Judicial que julga em nome do Bispo e preside o Tribunal Diocesano. Com ele formam o Tribunal vários juízes diocesanos que podem ser sacerdotes, diáconos e inclusive leigos, homens e mulheres (c. 1421); formam ternos ou colégios de três a cinco juízes, segundo a importância das causas. Assim, por exemplo, nas causas de nulidade matrimonial o colégio deve estar integrado por três juízes (c. 1425).

O Presidente do Tribunal pode designar um Juiz Auditor para realizar a instrução da causa (ouvir as partes e as testemunhas), escolhendo-o entre os juízes do Tribunal ou entre as pessoas aprovadas pelo Bispo para essa função. Tal juiz não julga a causa, mas apenas pergunta e ouve as pessoas envolvidas num

---

[1] Um elenco de todos esses tribunais, com as dioceses que os formam, encontra-se a partir da página 48.

processo. Pode ser clérigo ou leigo que se distinga pelos bons costumes, prudência e doutrina (c. 1428 §§ 1 e 2). Ao Juiz Auditor cabe unicamente recolher as provas e entregá-las aos outros juízes.

O Presidente do Tribunal pode também nomear um Ponente ou Relator entre os juízes do colégio, o qual informará na reunião do Tribunal sobre a causa e redigirá por escrito a sentença (c. 1429).

O Promotor de Justiça é o encarregado de vigiar e defender os interesses do bem comum da comunidade (c. 1431), enquanto o Defensor do Vínculo é destinado para defender o valor do sacramento do matrimônio e da ordem sacra (c. 1432); estes dois ofícios, de Promotor de Justiça e de Defensor do Vínculo, podem ser desempenhados também por leigos.

O Notário anota as perguntas do Juiz Auditor e os depoimentos; é o Notário quem dá a fé pública (garantia de validade) de todo ato do tribunal e também, como norma, pode ser leigo (c. 1437).

Tanto os juízes como os demais ministros do Tribunal estão proibidos de aceitar qualquer presente por ocasião do juízo (c. 1456).

Finalmente, nos Tribunais Eclesiásticos, aparecem também os advogados e procuradores. O Advogado é o conselheiro jurídico de uma das partes. Por isso, a ele corresponde sugerir que seja interrogada uma testemunha concreta, ou que peça o parecer de alguns peritos. Também tem de redigir e apresentar os arrazoados em favor de seu cliente.

Por seu turno, o Procurador é a pessoa que representa uma das partes para realizar certos atos, como receber notificações oficiais, pedir que um juiz decida um ponto particular etc. Normalmente o advogado assume também o papel de procurador.

Em cada Tribunal deve existir uma lista de advogados aprovados para atuar nele.

Nas Dioceses que optaram por constituírem um Tribunal Interdiocesano não existirá em cada uma delas um Vigário Judicial porque já existe um para todas elas — o do Tribunal

Interdiocesano; poderão ter Vigários Judiciais Adjuntos ou simplesmente Juízes Auditores, com Defensores do Vínculo e Notários que comporão as Câmaras Eclesiásticas Auxiliares do Tribunal Interdiocesano.

3. Do Tribunal Competente nas causas de nulidade matrimonial (que Tribunal pode julgar)

Nas causas de nulidade do matrimônio, qualquer dos dois esposos pode apresentá-la ante o Tribunal de 1ª instância de uma destas Dioceses:
— onde se celebrou o matrimônio;
— onde tem domicílio ou quase domicílio a parte demandada (quem responde ao processo);
— onde tem domicílio ou quase domicílio a parte demandante (quem inicia o processo);
— onde se encontra a maior parte das provas.

Para que o Tribunal das Dioceses, nos dois últimos casos, possa aceitar a causa, exigem-se algumas condições (cc. 1673 e 1694). Todos esses Tribunais são concorrentes (têm competência relativa) e, daí, aquele que citar por primeiro uma das partes passa a ter competência absoluta, *servatis iuris servandis*.

4. Duração das causas de nulidade matrimonial
(quanto tempo demora uma causa)

A Igreja tem sempre muito cuidado nas normas de funcionamento de seus Tribunais, que formam o Direito Processual Canônico. Muitos pensam que a administração da justiça, também na Igreja, é lenta por demais e burocrática. A solução não é eliminar as normas, mas aceitá-las como segurança e garantia de respeito aos direitos das pessoas. Por isso haveria de obedecê-las com espírito de eficácia, sabendo que foram aprovadas muito oportunamente pelo Legislador, para que ajudem simultaneamente a obter a verdade, a justiça e a rapidez. Respeitando os prazos sem prorrogações que se possam evitar, alcança-se normalmente uma duração prudente (c. 1465).

Uma causa não deve durar, como norma, mais de um ano no Tribunal de 1ª instância, nem mais de seis meses no de 2ª instância. Portanto a duração máxima deveria ser a de um ano e meio numa causa de nulidade matrimonial, que precisa de duas instâncias para obter sentença firme (c. 1553).

Porém a duração de uma causa não depende exclusivamente do Tribunal: muitas vezes, por falta de interesse ou de colaboração das partes e de suas testemunhas, uma causa se arrasta por muito mais do que seria de se esperar, infelizmente.

5. Os principais passos de um processo de nulidade matrimonial (como fazer um processo)

Chamamos de processo a sequência de atos que se realizam para resolver uma questão proposta.

Um processo começa com o libelo de demanda apresentado ao Tribunal por quem pede a causa, pela parte autora ou demandante.

Nesse documento deve-se indicar claramente o que se pede (a nulidade do casamento), as razões de fato e de direito e as provas em que se apoia a petição (cc. 1501-1504), pelo menos transcrevendo o rol de testemunhas (lista com os nomes e endereços).

O autor ou demandante pode designar um advogado que o defenda e um procurador que o represente no Tribunal (c. 1481). Ambas as funções podem ser acumuladas pela mesma pessoa.

O Juiz admite por decreto o libelo e cita convocando a outra parte, que nas causas de nulidade matrimonial é chamado(a) demandado(a).

O demandado então contesta respondendo ao libelo:
• pode opor-se e então indicará também suas razões e provas;
• ou pode não se opor, encomendando-se desde o princípio à justiça do Tribunal (c. 1507).

Com aquilo que expuseram o autor (ou demandante) e o demandado nos seus escritos de demanda e contestação, o Juiz redige a fórmula de concordância da dúvida (c. 1513), que explicita e define claramente o que se vai estudar e decidir.

Nas causas de nulidade matrimonial indica-se assim: "Se consta neste caso a nulidade do matrimônio em apreço, pelo(s) capítulo(s) de nulidade..." (e daí são citados os capítulos de nulidade segundo o CIC).

Em continuação, o Juiz decreta a abertura da fase de instrução, a etapa probatória de recolhimento dos elementos demonstrativos, que confirmarão ou infirmarão o sustentado no libelo. Ouve-se primeiro o demandante, depois o demandado, em separado; a seguir as testemunhas que tenham sido arroladas pelas partes. Em certas causas são requisitados o relatório e o laudo pericial e ainda se examina, se houver, a prova documental, ou seja, documentos públicos ou privados com os quais se intenta provar alguma coisa.

Com isso dá-se por terminado o período probatório e decreta-se a publicação dos autos do processo, para que o autor e o demandado e seus respectivos advogados possam conhecer e estudar todas as peças processuais.

Os advogados apresentam então suas defesas, ou *animadvertiones,* em favor ou contra o que se pediu ao Tribunal.

O Defensor do Vínculo faz seu relatório, ao qual devem replicar os advogados, ficando o direito de tréplica para ele, que tem sempre a última palavra na fase discussória.

Encerrando as alegações das partes, o Juiz decreta a conclusão da causa e convoca a sessão para decidir, reunindo o colégio judicante (os três juízes que, reunidos, apresentarão seus votos fundamentados e, por maioria, definirão a causa ditando sentença em 1º grau de jurisdição).

A sentença que declara em 1ª instância a nulidade do matrimônio é notificada e intimada às partes e envia-se ao Tribunal de 2ª instância junto com os escritos que possam apresentar, apelando os que não estão de acordo com a sentença. Igualmente enviam-se todos os autos do juízo.

O Tribunal de 2ª instância pode confirmar a sentença com um simples decreto arrazoado ou admitir tudo a um novo exame, que se desenvolve com o mesmo esquema da 1ª instância, ainda que com mais brevidade, concluindo numa segunda sentença.

Quando a primeira sentença tiver sido confirmada pelo Tribunal de 2ª instância, seja por decreto ou por nova sentença com a comunicação às partes, os esposos cujo matrimônio tenha sido declarado nulo são declarados oficialmente solteiros.

Após a dupla sentença, conforme o Tribunal no qual a causa foi introduzida, notificam-se não apenas as partes, mas também as igrejas onde se batizaram e se casaram, para as devidas anotações nos registros de batismo e matrimônio. Estas, por sua vez, deverão notificar as Cúrias Diocesanas, pelos mesmos motivos.

6. As custas processuais (quanto custa um processo)

Em cada Tribunal, de acordo com as Comissões Regionais da CNBB, existem tabelas que determinam a quantia com que deve contribuir o autor da demanda, segundo os casos, como contribuição de ajuda às custas processuais. Na mesma tabela indica-se a norma para o pagamento dos honorários dos advogados, procuradores, peritos e intérpretes, quando são solicitados (c. 1649).

Os Tribunais Eclesiásticos agem gratuitamente naqueles casos em que os vencimentos de uma pessoa justificam a concessão do chamado patrocínio gratuito, exigindo-se o comprovante de uma Instituição Eclesial, normalmente a Paróquia, para respaldar e verificar a situação. Muitas causas são enquadradas nesse regime ou pelo menos pode-se conceder-lhes um pagamento parcial chamado semigratuidade.

As tabelas dos Tribunais são públicas e podem ser conhecidas pelos interessados.

Quanto à forma de pagamento, deverá ser combinada nas Secretarias dos Tribunais e, para qualquer eventual questão, esclarecia com o Presidente do Tribunal.

Constata-se que as custas processuais não configuram empecilho nem elitizam a justiça eclesiástica, que trata de estar aberta e disponível a todos os fiéis. Ninguém fica sem receber justiça porque não pode pagar por ela. Mas também não é justo que alguém receba justiça de graça, a não ser que realmente não tenha condições para colaborar financeiramente.

Deveria ser costume poder recorrer a um Tribunal, solicitando a nomeação de advogado ou procurador de ofício pertencentes à relação oficial do Tribunal, pois o novo Código aconselha a criação de advogados e procuradores estáveis, que recebam honorários fixos do mesmo Tribunal. Isto se dá no Tribunal ao qual atualmente estamos sujeitos.

7. Elementos processuais especiais
(casos ou circunstâncias especiais)

1. Processo documental (c. 1686)

Há casos em que, embora tenha de intervir um juiz, deve fazê-lo de um modo muito rápido. A lei chama esses casos de processo documental. Esse procedimento vale sempre que a nulidade do matrimônio se deduz facilmente de um documento tão certo que não há forma de negá-lo.

Assim pode acontecer no caso de parentesco, pois bastam as certidões de nascimento para comprová-lo, ou quando um dos noivos não tinha a idade mínima para casar, ou ainda em caso de vínculo anterior não dissolvido (uma pessoa já casada que sem ficar viúva casa-se com outra) etc. Em pouco tempo pode ficar resolvida a questão.

Em tais casos basta a intervenção de um só juiz.

2. Dispensa "super rato" (c. 1061 e seguintes)

Afirma o c. 1141 que o matrimônio rato (juramento feito de acordo com as leis da Igreja) e consumado (tendo havido a união sexual do casal) não pode ser dissolvido por nenhum poder humano, nem por nenhuma causa, fora da morte. No entanto o matrimônio não consumado entre batizados, ou entre batizado e parte não batizada, pode ser dissolvido por causa justa pelo Romano Pontífice, por petição de ambas as partes, ou de uma delas ainda que a outra se oponha (c. 1142).

O procedimento da parte requerente começa perante o Bispo e tem um andamento semelhante ao processo de declaração de nulidade. Há escrito de demanda ou de petição inicial por parte do Orador (já que se trata de uma graça), a designação de um juiz, a coleta de provas (sobretudo o interrogatório das partes e das testemunhas). O auxílio de peritos, como médicos e psicólogos, é requerido "ex officio" pelo juiz e estes constituem testemunhas qualificadas no processo.

A diferença maior está em que o Juiz não deve dar sentença, mas apenas um voto "pro rei veritate" ou parecer; a mesma coisa tem de fazer o Bispo. Juntamente com as provas recolhidas na instrutória, os pareceres são enviados para a Rota Romana (que é a única competente para tal) que, estudado o caso, também expõe o seu parecer e, numa súmula (resumo), entrega-o ao Papa para que decida finalmente se deve ou não conceder a dispensa.

3. Privilégio da fé

Há ainda casos, entre nós, que se apresentam muito raramente e nos quais é possível dissolver o matrimônio: é a situação do chamado Privilégio Paulino. Acontece num casamento de duas pessoas não batizadas (pagãos), em que um dos dois se batiza e o outro — depois de interpelado — não quer ser batizado ou nem ao menos viver em paz com a parte batizada, sem ofensa ao Criador (c. 1143). A interpelação se fará normalmente pela autoridade do Ordinário (bispo) do lugar da parte batizada, concedendo um prazo à outra parte. Se a parte não batizada rejeitar a interpelação e a possibilidade de convivência pacífica, o Ordinário do lugar pode conceder que a parte batizada, usufruindo dos direitos da fé (1Cor 7,11-15), contraia matrimônio com outra pessoa católica (c. 1146) ou, por causa grave, mesmo com parte não católica (batizada ou não), observando a legislação sobre os matrimônios mistos (c. 1147).

Outra modalidade de dissolução do vínculo matrimonial em favor da fé é o Privilégio Petrino. Em virtude da sua autoridade, o Papa pode dissolver o vínculo matrimonial existente entre duas pessoas não batizadas (chamado de matrimônio natural) quando uma delas se batiza na Igreja Católica, nos seguintes casos:

• *Poligamia* (c. 1148): em virtude dos costumes locais, uma pessoa não batizada é polígama; ao converter-se, e recebido o batismo, a poligamia deve cessar, pois está em direto contraste com uma das propriedades essenciais do matrimônio — a unidade (c. 1056). Em si, a primeira mulher deveria ser reconhecida como a verdadeira esposa, mas, se isso lhe for penoso, poderá escolher a mulher que preferir. O mesmo raciocínio vale no caso de poliandria.

• *Prisão e perseguição* (c. 1149): por motivos de prisão, deportação, perseguição religiosa ou política da parte não batizada, impossibilitando a coabitação com a outra parte, o cônjuge batizado na Igreja Católica poderá contrair novo matrimônio com outra pessoa, ainda que no mesmo lapso de tempo a outra parte tenha recebido o batismo, conquanto após a recepção do batismo não tenham consumado o matrimônio (c. 1141).

• *Por indulto pontifício:* o Papa pode dissolver qualquer vínculo matrimonial que careça do caráter sacramental e de consumação. Na falta de mesmo um só desses elementos — e os casos podem ser variados — o matrimônio pode ser dissolvido em força de um indulto pontifício, ainda que a motivação não seja a de contrair novas núpcias e que a parte Oradora se converta ou não à fé católica e se batize (Instrução *Ut notum est* da Congregação para a Doutrina da Fé, de 06/12/1973).

4. Morte presumida (c. 1017)

Processo especial diante da certeza moral da morte de um dos cônjuges, não bastando a ausência prolongada.

8. Roteiro para a elaboração do Libelo de Demanda
(como escrever a carta pedindo a abertura do processo)[2]

Para compor-se o escrito de demanda da causa (o súplice libelo), estas são as informações necessárias em que o que se pede, isto é, a declaração de nulidade de um matrimônio, é fundamentado nos fatos e no direito, para que o juiz possa aceitar a introdução da causa:

---

[2] Na página 58 existe um modelo sumário de como escrever uma carta solicitando a declaração de nulidade de um matrimônio, seguindo a sequência dos dados e das perguntas que se indicarão a seguir.

1. Identificação das partes (do casal)

a) Parte Demandante (a pessoa que está começando o processo):

— nome, filiação, localidade e data de nascimento;
— grau de instrução, profissão;
— endereço residencial completo (atual) e endereço para correspondência (se for o caso), número de telefone;
— religião, participação (praticante ou não);
— lugar e data completa da celebração do matrimônio religioso (igreja, Paróquia, cidade e Diocese) e civil (cidade, Comarca);
— situação familiar, na época do namoro e noivado, e relacionamento da parte com ela.

b) Parte Demandada (a pessoa que irá ser comunicada da existência do processo):

Os mesmos dados da parte demandante, menos o penúltimo.

2. Relatório dos fatos (exposição clara e objetiva do caso)

a) Preparação para o matrimônio

Como, quando e onde conheceu a parte demandada? Que idade tinham na ocasião? Como, quando e onde iniciou o namoro? Quanto tempo durou? Como foi esse tempo? Havia brigas e desentendimentos; por quê? Houve intimidades? Gravidez? Chegou a desmanchar e interromper o namoro; quantas vezes e por quanto tempo? Quem procurava a reconciliação e por quê? Houve celebração de noivado? Quem tomou a iniciativa? Houve brigas ou discussões durante o noivado? Se havia brigas e conflitos na época do noivado, por que chegaram então ao casamento?

b) Celebração do matrimônio

Ambos foram livremente ao matrimônio? Alguém ou alguma circunstância os obrigou ao matrimônio? Quem ou qual circunstância? Qual era a ideia que as partes tinham a respeito do casamento? Qual era a prática religiosa das partes durante o período de namoro e noivado? O que as partes entendiam por Sacramento do Matrimônio? Por que resolveram casar-se "na Igreja"? As partes estavam maduras para o casamento? Houve uma preparação para a celebração? "Cursinho de Noivos"? Como foi o dia do matrimônio: tudo correu normalmente na cerimônia religiosa e civil? E na festa que se seguiu (caso tenha havido uma)? Alguém notou alguma coisa no dia do casamento que levantasse dúvidas ou perplexidade sobre o êxito e a duração do mesmo?

c) Vida matrimonial

Houve lua de mel, onde e por quanto tempo? O matrimônio foi consumado? Houve dificuldades? Quais? Quando surgiram os primeiros problemas do casal? Eles já existiam anteriormente ao casamento? Relate pormenorizadamente os principais fatos concretos que prejudicaram o relacionamento do casal e que levaram o casamento a um final indesejável. Algum problema psíquico ou mental prejudicou o relacionamento? Esse problema era anterior ao casamento? Houve infidelidade conjugal: de quem? Antes, durante ou depois do casamento? Tiveram filhos? Quantos? Se não, por quê? As partes assumiram as suas obrigações de casados, com referência ao lar, ao outro cônjuge e aos filhos? Amavam-se de verdade? Com que tipo de amor? Amavam-se com amor marital capaz de fundamentar o matrimônio? Quando descobriram que não havia mais amor entre os dois? Quanto tempo durou a vida conjugal? Como pode ser avaliada, no seu conjunto, a vida matrimonial?

d) Separação

De quem foi a iniciativa da separação e qual o verdadeiro motivo dessa separação? Houve alguma tentativa de reconciliação? De quem partiu a iniciativa? Qual foi o seu resultado? Com quem e como vivem hoje as partes? Se tiveram filhos, com quem vivem estes atualmente e quem provê ao seu sustento? Qual ou quais os motivos que o(a) levaram a introduzir essa ação de nulidade em um Tribunal Eclesiástico?

3. Fundamentação no Direito da Igreja (motivos válidos para que um matrimônio seja nulo)

Com a ajuda de um advogado ou com a orientação do Pároco, trata-se de ver se o caso tem amparo legal no Direito Matrimonial da Igreja, enquadrando-o em um ou mais capítulos de nulidade. O Libelo para ser aceito deve apresentar o "fumus boni iuris", ou seja, a petição deve ser justificada com um arrazoado jurídico-canônico, caso contrário poderá ser rejeitada pelo Juiz Presidente, por ser inconsistente (c. 150420).

4. Documentos anexos
Obs.: Todo e qualquer documento pedido deverá ser apresentado *em duplicata:* dois xérox simples, ou o original e uma cópia. Não há necessidade de autenticação.

1ª Parte:
— Fotocópia da carteira de identidade ou documento equivalente.
— Certidão de batismo dos dois (nas Paróquias onde foram batizados).
— Certidão de casamento religioso (na Paróquia onde se casaram).
— Processículo matrimonial (onde os noivos fizeram os papéis de casamento).
— Certidão de casamento do civil.

— Cópia de separação legal ou nulidade matrimonial civil.
— Certidão de domicílio canônico da parte Demandada.
— Laudos periciais (se houver) da área de psiquiatria (CID).
— Cartas e outros documentos que interessem ao processo (Boletim de Ocorrência etc.).

2ª Parte:
Dados do Demandante (quem pede a ação) e do Demandado (quem responde).

Nome, filiação, data e local de nascimento, grau de instrução e profissão, endereço completo (tais dados devem constar na carta que a parte Demandante endereça ao Moderador do Tribunal — o bispo responsável — onde vai dar início ao Processo).

3ª Parte:
Rol de testemunhas: elenco de *cinco* pessoas que melhor conheçam todos os fatos narrados na parte dos dados, que estejam dispostas a falar deles e que se apresentem quando forem citadas (chamadas) pelo Tribunal.
No rol devem constar:
— Nome completo das testemunhas.
— Endereço completo (rua, número, CEP, cidade, estado e, se possível, telefone e fax).
— Paróquia à qual pertencem.

A parte demandante deve dirigir-se ao Moderador do Tribunal competente (p. ex. "Ao Eminentíssimo Sr. Cardeal Arcebispo de São Paulo") e, esclarecida a causa do pedido de nulidade matrimonial (c. 1504, 1º), assinar o Libelo (ou providenciar que o faça o seu procurador devidamente nomeado), indicando o dia, mês e ano (c. 1504, 3º).

Seguem, agora, os capítulos que rendem nulo um matrimônio em foro eclesiástico.

II

CAPÍTULOS DE NULIDADE

1. Afinidade (c. 1092)

Vínculo que existe entre o varão e os consanguíneos da mulher, e entre a mulher e os consanguíneos do marido, vínculo este proveniente de um matrimônio válido.

O cômputo da Afinidade se faz como o da Consanguinidade (vd. infra), de tal modo que os consanguíneos do marido sejam, na mesma linha e grau, afins da mulher e vice-versa. O impedimento surge entre o marido e os consanguíneos da mulher e vice-versa; não entre os consanguíneos de um e do outro cônjuge.

O âmbito do impedimento atinge os graus da linha reta; na linha colateral não há impedimento.

Tal impedimento cessa por dispensa; nas circunstâncias ordinárias, é concedida pelo Ordinário do lugar.

2. Consang• inidade (c. 1091)

Vínculo existente entre duas pessoas que procedem do mesmo tronco comum próximo, por geração. Na linha (série de pessoas que descendem do mesmo tronco) reta (se as pessoas descendem diretamente umas das outras) nunca se dispensa de tal impedimento; na colateral (aquela em que todos descendem do mesmo tronco, mas não umas das outras) é impedimento até o quarto grau, inclusive.

Para se computar os graus na linha colateral somam-se os graus das duas linhas, sem computar o tronco comum. Na linha reta são tantos os graus quantas as gerações, omitido o tronco comum.

A dispensa de tal impedimento se dá a partir do 3º grau da linha colateral; é dada nas circunstâncias ordinárias pelo Ordinário do lugar.

Exemplo:

Abraão não pode casar-se com Débora (linha reta).

Esaú pode casar-se com Tamar *com dispensa* (3º g. da linha colateral).

Débora pode casar-se com Ismael *com dispensa* (4º g. da linha colateral).

Débora pode casar-se com Abel *sem dispensa* (5º g. da linha colateral).

3. Parentesco legal (c. 1094)

É o vínculo entre os adotantes e os adotados e entre os consanguíneos daqueles e estes. O impedimento é a proibição de contrair matrimônio entre os adotantes e adotados e entre os consanguíneos daqueles e estes, na linha reta em todos os graus e na colateral até o segundo grau.

O cômputo se faz como na consanguinidade natural.

A adoção é regulamentada pela lei civil: "Os filhos que tenham sido adotados de acordo com a lei civil são considerados filhos daquele ou daqueles que o adotaram" (c. 110).

O impedimento cessa:
• por cessação da adoção;
• por dispensa concedida pelo Ordinário.

Obs.: A dispensa concedida no âmbito civil *não produz* efeitos no âmbito eclesiástico. É necessária a dispensa eclesiástica.

4. Honestidade pública (c. 1093)

Vínculo existente entre o varão e os consanguíneos da mulher, proveniente de um matrimônio inválido, depois de instaurada vida em comum ou de concubinato notório ou público.
Como impedimento, é a proibição de contrair matrimônio válido entre o varão e os consanguíneos da mulher e vice-versa.
O âmbito do impedimento é no primeiro grau da linha reta. O cômputo se faz como na afinidade. Cessa por dispensa concedida pelo Ordinário do lugar, nas circunstâncias ordinárias.

5. Conjugicídio (crime) (c. 1090)

Tal impedimento possui duas figuras:

• a morte do próprio cônjuge ou de outra pessoa com a intenção de contrair matrimônio com o cônjuge viúvo;
• a morte do cônjuge de uma das partes, mas por mútua cooperação dos dois que querem contrair matrimônio.
Obs.: A cooperação pode ser física ou moral.

O impedimento cessa nas circunstâncias ordinárias por dispensa reservada à Santa Sé.

6. Disparidade de culto (c. 1086)

Existe tal impedimento entre duas pessoas que professam uma religião diferente, das quais uma é *católica* e a outra é *não batizada*[3].

---

[3] No Brasil, para a complementação ao Diretório Ecumênico *Ad Totam Ecclesiam*, foi feita uma pesquisa pelo Secretariado Nacional de Teologia sobre o modo de conferir o batismo nas comunidades acatólicas atuantes em nosso país. Os resultados dessa pesquisa, complementados posteriormente, foram incluídos no verbete "Batismo" do Guia Ecumênico (Col. Estudos da CNBB, n. 21). Lá se conclui o seguinte:

• Diversas Igrejas batizam sem dúvida. Validamente; por esta razão, um cristão batizado numa delas não pode ser normalmente rebatizado, nem sequer sob condição. Essas Igrejas são:
a) Igrejas Orientais ("Ortodoxas", que não estão em comunhão plena com a Igreja católico-romana, das quais pelo menos seis se encontram presentes no Brasil).
b) Igreja vétero-católica.
c) Igreja Episcopal do Brasil ("Anglicanos").
d) Igreja Evangélica de Confissão Luterana no Brasil (IECLB).
e) Igreja Evangélica Luterana do Brasil (IELB).
f) Igreja Metodista.

• Há diversas Igrejas nas quais alguns de seus pastores, segundo parece, embora não se justifique nenhuma reserva quanto ao rito batismal prescrito, contudo, devido à concepção teológica que têm do batismo — p. ex., que o batismo não justifica e por isso não é tão necessário — não manifestam sempre urgência em batizar seus fiéis ou em seguir exatamente o rito batismal prescrito. Também nesses casos, quando há garantias de que a pessoa foi batizada segundo o rito prescrito por essas Igrejas, não se pode rebatizar nem sob condição. Essas Igrejas são:
a) Igrejas presbiterianas.
b) Igrejas batistas.
c) Igrejas congregacionistas.
d) Igrejas adventistas.
e) A maioria das Igrejas pentecostais (Assembleia de Deus, Congregação Cristã do Brasil, Igreja do Evangelho Quadrangular, Igreja Deus é Amor, Igreja Evangélica Pentecostal "O Brasil para Cristo").
f) Exército de Salvação (este grupo não costuma batizar, mas, quando o faz, realiza-o de modo válido quanto ao rito).

• Há Igrejas de cujo batismo pode-se prudentemente duvidar e, por essa razão, requer-se como norma geral administração de um novo batismo, sob condição. Essas Igrejas são:
a) Igreja Pentecostal Unida do Brasil (essa Igreja batiza apenas "em nome do Senhor Jesus", e não em nome da Ss. Trindade).

Cessa:

• por dispensa do Ordinário do lugar. Requer-se que os contraentes deem as garantias de:
— (quanto à parte não batizada) não impedir à parte católica o exercício da própria fé;
— (quanto à parte católica) de fazer todo o possível para batizar a prole na Igreja Católica e educá-la como tal.
• por conversão à Igreja Católica da parte não batizada.

7. Idade (c. 1983)

Trata-se da idade legal baseada na presunção da capacidade tanto de consumar o matrimônio como de prestar um consentimento válido.

Para se computar a idade de uma pessoa parte-se do dia do seu nascimento, termo *a quo — mas este não vem contado —* e o último dia, termo *ad quem,* tem de ser completo.

Exemplo: um menino nascido aos 22/02/1963 não é hábil para contrair matrimônio até o dia 23/02/1979.

• O CIC determina como idades mínimas: 16 anos para o varão e 14 para a mulher.

---

b) "Igrejas Brasileiras" (embora não se possa levantar nenhuma objeção quanto à matéria ou à forma empregadas pelas "Igrejas Brasileiras", contudo, pode-se e deve-se duvidar da intenção de seus ministros (cf. Comunicado Mensal da CNBB, setembro de 1973, p. 1227, c. n. 4; cf. também no Guia Ecumênico o verbete Brasileiras, Igrejas).
c) Mórmons (negam a divindade de Cristo, no sentido autêntico, e, consequentemente, seu papel redentor).

• Com certeza batizam invalidamente:
a) Testemunhas de Jeová (negam a fé na Ss. Trindade).
b) Ciência Cristã (o rito que pratica, sob o nome de batismo, tem matéria e forma certamente inválidas; algo semelhante pode-se dizer de certos ritos que sob o nome de batismo são praticados por alguns grupos religiosos não cristãos como a Umbanda).

• A CNBB, usando das faculdades que lhe dá o CIC — somente para a liceidade — fixou as idades mínimas em 18 anos para o varão e 16 para a mulher.

O c. 1071 § 1, 6ª proíbe a assistência ao matrimônio de menores sem licença do Ordinário local, fora do caso de necessidade, se seus pais não estão informados ou se opõem razoavelmente a tal matrimônio.

8. Esterilidade (cc. 1098 e 1097 § 2)

Por esterilidade entende-se em *sentido genérico* a inaptidão para a procriação, ainda que a pessoa seja apta para a cópula; em *sentido estrito* a *impotentia generandi* (impotência para gerar), que supõe a *impotentia coeundi* (impotência para realizar o coito).

Pode definir-se como o *defeito natural ou acidental — do varão, da mulher ou de ambos — que de modo permanente impede que da cópula perfeita se siga a geração de prole.*

Diz-se defeito permanente para excluir a esterilidade temporal natural própria das crianças e dos adolescentes (sem ejaculação fecunda ou sem ovulação e menstruação) ou aquela dos anciãos (cujo sêmen carece de espermatozoides ou os tem débeis e infrutíferos). Do mesmo modo os varões que sofrem de azoospermia, oligospermia, astenospermia, necrospermia, e as mulheres que carecem de ovulação por causa de atrofia dos ovários, ou porque os óvulos não alcançam maturidade, ou porque os espermatozoides não podem passar aos órgãos pós-vaginais, ou por obstrução ou oclusão da vagina, ou por má colocação do útero etc.

A Esterilidade não impede nem dirime o Matrimônio (ainda que a geração seja o fim objetivo e institucional do Matrimônio, não é nem a sua essência nem sequer o fim primário e estruturante; o Direito só pode referir-se diretamente à ação humana, que enquanto unitivo-consumativa é parte essencial do objeto do Matrimônio, enquanto a prole está vinculada essencialmente a esta ação humana sendo tão somente uma possibilidade real do ato enquanto natureza) *a não ser em caso de dolo* (c. 1098) *ou de erro de qualidade de pessoa direta e principalmente visada* (c. 1097 § 2).

9. Impotência (c. 1084)

A doutrina define a impotência como sendo a incapacidade de realizar ou concluir o ato sexual. Além disso deve ser:

• antecedente ao matrimônio (deve subsistir ao ato da sua celebração);
• perpétua: a temporânea — que cesse por si ou da qual se possa curar com meios fáceis e ordinários — não constitui impedimento;
• certa: uma impotência duvidosa, por dúvida de direito ou de fato, não impede o matrimônio.

A impotência, além disso, pode ser absoluta (com qualquer pessoa) ou relativa (com uma ou várias pessoas), orgânica ou funcional. Não deve ser confundida com a esterilidade.

10. Ordem sacra (c. 1087)

Tal impedimento é conexo com a lei do celibato (c. 277). A eventual dispensa (que aos diáconos é concedida *"ob graves tantum causas"*, aos presbíteros *"ob gravissimas causas"* e aos bispos jamais foi dada) é reservada ao Romano Pontífice (cc. 291 e 1078 § 2).

11. Votos religiosos (c. 1088)

Impedimento de direito eclesiástico tem seu âmbito limitado a uma dupla condição:

• Que o voto de castidade perfeita seja público e perpétuo.
• Que tenha sido emitido em um Instituto religioso de direito pontifício ou diocesano, no sentido próprio determinado pelo c. 607.

A dispensa para os Institutos de direito pontifício é reservada à Santa Sé (c. 1078 § 2), excetuando o perigo de morte (c. 1079); para os de direito diocesano, a dispensa pode ser concedida pelo Ordinário do lugar *iure proprio*.

12. Rapto (c. 1089)

O rapto é considerado pelo Direito Canônico como delito e como impedimento.

Como delito estende-se a qualquer pessoa, raptada ou detida com violência ou fraude (c. 1397). Como impedimento, no direito canônico latino, limita-se à mulher raptada, sequestrada ou mantida, detida à força com o fim de contrair com ela matrimônio.

São condições necessárias para que se dê tal impedimento:

• que a pessoa raptada seja mulher — e não homem;
• que o rapto ou a detenção seja contra a sua vontade, mediante violência, ameaça ou engano. Se a mulher for consenciente não existe algum impedimento (seria fuga e não rapto);
• que o rapto tenha sido realizado para fins matrimoniais.

Enquanto perdurar a situação de rapto, é inválida qualquer celebração de matrimônio. Para que o impedimento cesse completamente é necessário que:

• a mulher seja separada do seu raptor (material e psicologicamente);
• seja posta em um lugar seguro e livre (e este nem sempre é a casa da própria família, que por motivos de honra poderia forçar a mulher a se casar com o seu raptor);
• consinta livremente com as núpcias.

13. Vínculo (c. 1085)

Enquanto viverem ambos os cônjuges unidos por Matrimônio válido, ambos estão impedidos de contraírem novo matrimônio validamente.

Fundado sobre a indissolubilidade e a unidade — propriedades essenciais do Matrimônio — tal impedimento vale também para os não batizados, que tenham contraído válido matrimônio segundo as leis e costumes de seus países.

Subsiste o impedimento mesmo que o matrimônio não tenha sido consumado (rato não consumado). Em tal caso, a graça da dissolução do vínculo é reservada ao Romano Pontífice.

Tratando-se de um matrimônio nulo por si mesmo (por causa de um impedimento dirimente, por defeito de forma, por vício de consentimento) ou declarado nulo pela autoridade competente nos casos previstos, sem dúvida o impedimento no primeiro caso não existe e no segundo cessa, *ad liceitatem*, mas não se pode proceder à celebração do segundo matrimônio se antes não conste com certeza e de forma autêntica a sua nulidade (c. 1085 § 2).

14. Condição (c. 1102)

A Igreja procura a verdade objetiva essencial do próprio Matrimônio e a liberdade privada consensual dos cônjuges; por isso, apesar das grandes dificuldades que o Matrimônio condicionado encerra, tolera-o e regulamenta-o com numerosas cautelas.

A base de tal figura jurídica está no fato de que uma vontade seriamente matrimonial faça depender a sua eficácia jurídica de uma determinada condição.

A condição, em sentido estrito, é a de futuro e existe um verdadeiro negócio jurídico condicional (concretamente o Matrimônio), quando a circunstância à qual fica ligado o consentimento consiste num acontecimento futuro e incerto, de cuja verificação pende a eficácia da declaração da vontade.

Essa condição deve reunir as seguintes características:

• tratar-se de uma circunstância extrínseca, posta pela vontade das partes *(conditio facti);*
• consistir num fato futuro;
• ser um acontecimento incerto;
• ser possível (pois o impossível é negativamente necessário e certo);
• ser lícito.

Essa condição de futuro deve ser causal, potestativa ou mista, segundo o acontecimento dependa do acaso, da vontade ou de ambos.

A condição pode ser posta expressa, tácita ou simultaneamente.

Quanto ao modo de pôr a condição — e somente para a liceidade — dispõe-se que não sejam postas sem licença do Ordinário do lugar onde se celebram as bodas ou, cumulativamente, do Ordinário próprio do contraente que coloca a condição.

Por respeito ao sacramento e para se evitar possíveis inconvenientes, o Ordinário atuará somente por razões graves e sérias; a licença seja dada *por escrito,* a fim de que registrada sirva como prova num eventual processo de nulidade, para evitar conflitos entre foro externo e interno e para impedir o perigo de dano para uma das partes, se desconhecida a condição posta pela outra.

15. Dolo (c. 1098)

É o engano fraudulento e deliberado cometido por uma pessoa sobre outra, em virtude do qual esta é induzida a realizar certo negócio jurídico. O que tipifica a conduta dolosa é o uso de meios fraudulentos para surpreender a boa fé de outro e assim induzi-lo a pôr determinado ato jurídico; os meios podem ser positivos (fatos, palavras etc.) ou negativos (silêncios, reticências, dissimulações etc.).

Para que o dolo invalide o Matrimônio, afetando o consentimento, é preciso que:

• o engano doloso seja perpetrado para conseguir o consentimento da outra parte;
• o sujeito paciente do dolo tenha efetivamente sofrido um erro grave sobre uma qualidade do outro contraente;
• o objeto do dolo seja uma qualidade do outro contraente, que por sua natureza perturbe gravemente o consórcio da vida conjugal.

16. Erro na pessoa (c. 1097)

É o juízo equivocado que se tem de uma pessoa, de um fato ou de uma norma.

O Matrimônio pode ser declarado inválido se o erro versar

sobre a identidade da pessoa com quem se casa (c. 1097 § 1) ou uma qualidade direta e principalmente querida (c. 1097 § 2).

Valem todas as qualidades acidentais que sejam honestas e justas para se declarar nulo um matrimônio se o cônjuge dirigiu a ela o seu consentimento de forma direta e principal.

17. Erro nas propriedades essenciais do matrimônio (c. 1099)

Erro substancial ou essencial sobre os mesmos elementos constitutivos do matrimônio como tal (cc. 1055 e 1096), senão erro sobre os elementos institucionais, que sem ser constitutivos dimanam da mesma natureza dinâmica do matrimônio, dando--lhe não o ser, mas a *talitas* do ser (c. 1056); trata-se de um erro simples ou puramente intelectual, sem que fique diretamente afetado o consentimento como ato de vontade (c. 1057).

Trata-se, pois, de um erro sobre a unidade, a indissolubilidade e a sacramentalidade como propriedades essenciais de todo matrimônio, as duas primeiras; e a terceira, a sacramentalidade, como propriedade essencial do matrimônio entre duas partes batizadas.

Um erro aparentemente teórico pode ser, em determinados casos, um erro prático e constituir uma verdadeira exclusão formal, ainda que implícita e, daí, uma verdadeira simulação parcial (c. 1101 § 2) que faz nulo o matrimônio.

18. Incapacidade (c. 1095)

O consentimento (causa eficiente, única e insuprimível do Matrimônio) pressupõe e exige a capacidade natural, pessoal e interpessoal, absoluta e relativa dos contraentes, além de sua habilidade jurídica positiva (c. 1057 § 2). Tal capacidade é aquela real para realizar efetivamente os conteúdos essenciais do Matrimônio, de sorte que tudo o que existe formalmente na instituição Matrimônio passe a existir de fato entre os cônjuges concretos. Assim sendo, a incapacidade é uma insuficiência para dar existência ao Matrimônio e distingue-se dos impedimentos dirimentes, das nulidades e da falta de forma canônica. Potencialmente, todas as incapacidades encontram-se implícitas no c. 1057 (levando em conta os cc. 1055, 1056 e a concretização que em relação ao conhecimento mínimo requerido encontra-se no c. 1096).

O c. 1095 elenca três figuras de incapacidade natural relativas ao Matrimônio:

• falta de uso da razão (o uso da razão adquire-se normalmente aos sete anos — c. 97 § 2 — e a sua falta ou mesmo a sua inadequação rendem inválido e ineficaz o consentimento);
• falta grave de discrição de juízo: a discrição de juízo é a maturidade específica ordenada não a um ato jurídico qualquer, mas ordenada a um ato de singular gravidade e responsabilidade como o Matrimônio, que empenha totalmente a vida de duas pessoas, as quais se dão e se aceitam reciprocamente com pacto irrevogável (c. 1057 § 2). A discrição de juízo, dita também "faculdade crítica", pertence à esfera valutativo-prática. Segundo os psicólogos, manifesta-se mais tarde do que a faculdade cognitiva e normalmente tem o seu desenvolvimento por volta dos doze anos de idade;
• defeitos psíquicos que impedem de assumir as obrigações essenciais do Matrimônio: as anomalias psíquicas alteram o equilíbrio do sujeito mesmo se este tem suficiente uso de razão e o rendem incapaz para assumir as obrigações essenciais do Matrimônio, com grave prejuízo do consórcio da vida conjugal (c. 1055 §1).

19. Medo (c. 1103)

É a comoção do ânimo por causa de um perigo presente ou futuro. Pode ser grave ou leve, externo ou interno.

É inválido o Matrimônio contraído por medo externo, grave, proposital ou não (se para livrar-se dele alguém se vê obrigado a casar-se). A doutrina e a jurisprudência têm exigido a concorrência simultânea desses elementos para que o medo possa ser invalidante.

20. Violência (c. 1103)

É o ímpeto de uma causa maior à qual não se pode resistir. Afeta diretamente o ato externo — falta de liberdade externa — e o seu objeto é o próprio corpo e que implica evidentemente na falta de consentimento, que é a causa eficiente, única e insuprimível do Matrimônio (c. 1057 § 1).

III

FORMA DE CELEBRAÇÃO DO MATRIMÔNIO

A causa eficiente do Matrimônio é o consentimento matrimonial entre as partes juridicamente hábeis. Mas como o consentimento é um ato interno da vontade, para que tenha relevância jurídica deve ser externamente manifestado. A essa manifestação externa do consentimento dá-se o nome de forma do matrimônio.

Podemos distinguir três tipos de forma:

• *Forma substancial:* é a manifestação inequívoca do consentimento matrimonial entre as partes, seja do modo que for. Essa forma substancial é absolutamente necessária para qualquer tipo de matrimônio, pois é um requisito da lei natural. Para que a Igreja reconheça como válido o casamento dos não católicos é necessário que tenha havido alguma manifestação explícita do consentimento e, em se tratando de não batizados, essa manifestação deverá ser feita com as formalidades da lei civil (pois nesse caso o Estado é plenamente competente para regular a celebração do matrimônio). Em se tratando de acatólicos batizados, basta a forma substancial, sem nenhuma formalidade específica (já que o Estado é absolutamente incompetente para legislar sobre o matrimônio dos cristãos e, por outro lado, a Igreja Católica abstém-se de exigir qualquer forma canônica).

• *Forma canônica: para o matrimônio dos católicos não basta a forma substancial.* A Igreja exige que a declaração do consentimento seja realizada com certas condições cuja não observância traz consigo a nulidade do consentimento emitido (é uma lei irritante e a sua razão de ser é que o matrimônio, pelo seu caráter social, não interessa apenas aos contraentes, mas também a toda a sociedade; por isso precisa de uma certa publicidade — o que se torna possível com a forma canônica, que aliás serve para sublinhar o caráter sagrado da união matrimonial).

Costuma-se distinguir entre a forma canônica ordinária e a extraordinária:

— *Ordinária:* é a celebração com todos os requisitos do c. 1108: presença dos contraentes, expressão verbal do consentimento, presença e atuação do ministro assistente e presença das testemunhas comuns.

— *Extraordinária:* é regulamentada pelo c. 1116 e tem como requisitos: a impossibilidade física ou moral da presença do ministro assistente ordinário e a presença de duas testemunhas comuns.

• *Forma litúrgica:* são os ritos e as cerimônias que, além da forma canônica, devem observar-se segundo os livros litúrgicos aprovados, na celebração do matrimônio, mas que se requerem apenas para a liceidade e não para a validade.

Estão obrigados à forma canônica (sob pena de nulidade do matrimônio) todos os católicos.

Se ao menos uma das partes contraentes for católica (ou tenha sido recebida na Igreja Católica e não tenha saído dela por um ato formal), existe a necessidade da forma canônica do matrimônio *ad validitatem*, ou seja, a obrigação da forma canônica do matrimônio alcança tanto os católicos que se contraem matrimônio entre si quanto os que se contraem com acatólicos. Há uma exceção: quando uma parte católica contrai matrimônio com uma parte oriental não católica (nesse caso para a validade requer-se apenas a intervenção de um ministro sagrado, observadas as prescrições do direito — cf. c. 1127 §2).

O c. 1127 § 2 prevê a possibilidade de se conceder a *dispensa da forma canônica* pelo Ordinário do lugar. Nos matrimônios mistos (cf. supra) ou com disparidade de culto (cf. supra) com acatólicos é prevista a possibilidade de dispensa da forma canônica se graves dificuldades impedem a sua observância.

É competente o Ordinário do lugar da parte católica, o qual é obrigado a consultar o Ordinário do lugar no qual será celebrado o casamento.

A dispensa será concedida não em forma geral, mas para cada caso em particular, e deve especificar qual forma pública é reconhecida pela Autoridade católica.

Para a validade do matrimônio requer-se que seja celebrado *aliqua publica forma* (uma forma pública qualquer), religiosa (acatólica) ou civil.

IV

APÊNDICES

Apêndice I
MATRIMÔNIO DE CATÓLICOS ORIENTAIS NO BRASIL

Por católicos orientais entendemos falar daquelas pessoas que foram batizadas nas Igrejas orientais "sui iuris"[4]. O Código dos Cânones das Igrejas Orientais *(Codex Canonum Ecclesiarum Orientalium)*, no Título XVI, Capítulo VII, cânones 776-866, trata da legislação matrimonial à qual estão sujeitos os orientais católicos.

Para as Igrejas orientais são válidos os matrimônios que se celebram mediante um rito sacro na presença de um sacerdote que abençoa o matrimônio; esse rito sacro da bênção sacerdotal é a condição necessária para a validade do matrimônio. Por esta razão um diácono não pode ser delegado para assistir a um matrimônio, nem por razão ainda maior um leigo[5].

Todos os batizados nas Igrejas católicas orientais estão obrigados à forma canônica; para uma eventual dispensa da "forma

---

[4] Comunidades de fiéis que, unidas à hierarquia segundo o Direito, são assim reconhecidas pelo Papa e pelo Concílio Ecumênico, ou seja, as Igrejas do Oriente que estão em plena comunhão com Roma. No Brasil estão presentes as seguintes Igrejas: Armênia, Ítalo-Albanesa, Maronita, Melquita, Russa e Ucraniana; cada uma delas tem um correspondente ramo ortodoxo, exceto a Igreja Maronita, que sempre foi só e completamente católica.

[5] Não existe um cânon oriental equivalente ao cânon latino 1112.

iure praescripta" deve-se recorrer ao Patriarca da Igreja oriental à qual pertence(m) o(s) nubente(s) ou à Santa Sé, que poderá concedê-la apenas por causa gravíssima (CCEO c. 835).

No Brasil, onde há paróquias orientais, e quando se trata de nubentes orientais, nenhum Pároco ou Bispo brasileiro de rito latino poderá celebrar esse casamento sem uma prévia autorização do Pároco ou do Bispo oriental; na ausência dessa autorização o casamento será nulo[6].

A Paróquia oriental abrange toda a cidade onde ela se localiza.

Os cânones do CCEO relativos ao consentimento matrimonial seguem muito de perto os relativos cânones do CIC sobre a incapacidade, o erro, o dolo e a ignorância.

Uma diferença importante entre os códigos encontra-se no tocante aos matrimônios por procuração (permitidos no CIC e vetados no CCEO: o rito sacro e a bênção sacerdotal são imprescindíveis) e na possibilidade de contrair matrimônio condicionado (permitido no CIC — que vê o matrimônio mais sob uma ótica contratual — e vetado no CCEO: o papel central do Espírito Santo no rito sacro impede qualquer tipo de condição).

Existem alguns impedimentos peculiares ao CCEO que não constam no CIC:

• Rapto: no CIC é considerado rapto apenas quando a mulher é a pessoa raptada com fins matrimoniais; no CCEO também o rapto de um homem é considerado impedimento ao ma-

---

[6] "O pastor ou titular de uma Igreja 'sui iuris' não é, de norma, pastor dos fiéis de uma outra Igreja 'sui iuris'. Dentro do âmbito da jurisdição de um pastor de uma Igreja 'sui iuris', os párocos de uma outra Igreja 'sui iuris', presentes num mesmo território, não assistem validamente ao matrimônio de dois fiéis não pertencentes às suas Igrejas. Assim, por exemplo, o pároco latino, nos limites do seu território, não assiste validamente em virtude do seu ofício ao matrimônio de dois fiéis de Rito oriental, a menos que não seja nomeado pároco também para os orientais que moram no seu território. O pároco no seu território assiste validamente ao matrimônio seja de pessoas que são seus súditos, seja de pessoas que não são súditos, conquanto ao menos uma delas pertença à própria Igreja 'sui iuris'" (Joseph Prader, •••*Matrimonio in Oriente e Ocidente,* Roma, 1992, p. 205).

trimônio. São idênticas as condições para a cessação do impedimento (cf. c. 806).
• Afinidade de 2º grau na linha colateral (c. 809).
• Afinidade espiritual — entre pessoa batizada e seu padrinho ou madrinha e os pais da pessoa batizada (c. 811).

Para a dispensa dos impedimentos deve-se recorrer ao Ordinário oriental competente[7]. Nenhum Bispo brasileiro de rito latino pode conceder dispensa de impedimento dirimente do matrimônio aos orientais católicos, salvo o seu Ordinário próprio.
No Brasil:

• O Ordinário para todos os orientais católicos que ainda não possuem um Ordinário próprio é S. Em.ª o Cardeal Arcebispo do Rio de Janeiro. Cúria: R. Benjamin Constant, 23 — Ed. João Paulo II — CEP 20241-150 — Fone (0xx21) 292-3132 — Fax (0xx21) 221-8093.

• O Ordinário dos Maronitas é o Bispo Maronita, cuja sede se encontra em São Paulo, na R. Tamandaré, 255 — CEP 01525-001 — Fone (0xx11)278-2904 — Fax (0xx11) 278-06536.

• O Ordinário dos Greco-Melquitas Católicos é o Bispo Melquita Católico cuja sede se encontra em São Paulo, na R. do Paraíso, 21 — CEP 04103-000 — Fone (0xx11) 287-7170 — Fax (0xx11) 285-0157.

• O Ordinário dos Armênios Católicos é o Bispo Armênio Católico, cuja sede se encontra em São Paulo, na Av. Tiradentes, 718 — CEP 01102-000 — Fone (0xx11) 227-6703.

• O Ordinário dos Ucranianos Católicos é o Bispo de São João Batista de Curitiba, cuja sede se encontra em Curitiba, na R. Maranhão, 1200 — CEP 80011-970 — Fone (0xx41)242-7469.

---

[7] Da Igreja "sui iuris" à qual ao menos um dos cônjuges pertença.

Apêndice II
TRIBUNAIS ECLESIÁSTICOS

1. Tribunais de Primeira Instância
(Regionais, Interdiocesanos, Arquidiocesanos e Diocesanos)

NORTE 1
1. Tribunal Interdiocesano de Manaus-AM
Vigário Judicial: Pe. Cânio Grimaldi, SDB
Vigário Judicial Adjunto: Pe. Zenildo Lima da Silva
Av. Epaminondas, 722 – Centro
69010-090 MANAUS-AM
Fone/Fax: (92) 3622-6877
   Para as circunscrições eclesiásticas de: Alto Solimões, Borba, Coari, Itacoatiara, Manaus, Parintins, Roraima, São Gabriel da Cachoeira e Tefé.

NORTE 2
2. Tribunal Interdiocesano de Belém-PA
Vigário Judicial: Pe. Antônio Idarcy Mattiuz, CSJ
Av. Gov. José Malcher, 915 – Nazaré
66055-260 BELÉM-PA
Fone/Fax: (91) 3215-7001 / 3215-7002 / 3215-7003
   Para as circunscrições eclesiásticas de: Abaetetuba, Belém, Cametá e Ponta de Pedras.

3. Tribunal Interdiocesano de Bragança do Pará-PA
Vigário Judicial: Pe. Raimundo Elias de Souza
Pça. da Catedral, 368 Bairro Centro – Cx. Postal 013
68600-000 BRAGANÇA-PA
Fone: (91) 3425-1108 / 3425-1134 Fax: (91) 3425-2018
   Para as circunscrições eclesiásticas de: Bragança do Pará, Castanhal, Marabá e Santíssima Conceição do Araguaia.

4. Tribunal Interdiocesano de Macapá-AP
Vigário Judicial: Pe. Paulo Roberto da Conceição
Rua S. José, 1790 Bairro Centro – Cx. Postal 52
68900-110 MACAPÁ-AP
Fone/Fax: (96) 3222-0426 / 3222-0747
e-mail: curiadiocesana.macapa@gmail.com
   Para as circunscrições eclesiásticas de: Macapá e Marajó.

5. Tribunal Interdiocesano de Santarém-PA
Vigário Judicial: Pe. Henry Mendonça, SVD
Praça Monsenhor José Gregório, 453 Bairro Centro
68005-020 SANTARÉM-PA
Fone: (93)3522-1668 / 3523-6310
Para as circunscrições eclesiásticas de: Itaituba, Óbidos, Santarém e Xingu.

NORTE 3
6. Tribunal Interdiocesano de Palmas-TO
Vigário Judicial: Pe. Carlos Rodrigo Euzébio Bertozo
504 Norte Alameda 14 Lote 02/04
77006 PALMAS-TO
Fone/Fax: (63) 3218-8424
e-mail: tribunal.palmas@gmail.com
Para as circunscrições eclesiásticas de: Cristalândia, Miracema do Tocantins, Palmas, Porto Nacional e Tocantinópolis.

NORDESTE 1
7. Tribunal Regional e de Apelação de Fortaleza-CE
Vigário Judicial: Pe. Dr. José Fernandes de Oliveira
Av. Dom Manuel, 03 – Centro
60060-090 FORTALEZA-CE
Fone: (85) 3219-8238
e-mail: terceara@veloxmail.com.br
Para as circunscrições eclesiásticas de: Crateús, Crato, Fortaleza, Iguatu, Itapipoca, Limoeiro do Norte, Quixadá, Sobral e Tianguá.

NORDESTE 2
8. Tribunal Regional e de Apelação de Olinda e Recife-PE
Vigário Judicial: Mons. João Carlos Acioly Paz
Rua Dom Bosco, 908 – Boa Vista
50070-070 RECIFE-PE
Fone/Fax: (81) 3221-7485
e-mail: tribunaleclesiasticone2@cnbbne2.org.br
Para as circunscrições eclesiásticas de: Afogados da Ingazeira, Caicó, Cajazeiras, Campina Grande, Caruaru, Floresta, Garanhuns, Guarabira, Maceió, Mossoró, Natal, Nazaré, Olinda e Recife, Palmares, Palmeira dos Índios, Paraíba, Patos, Penedo, Pesqueira e Petrolina.

NORDESTE 3
9. Tribunal Regional e de Apelação de São Salvador-BA
Vigário Judicial: Pe. Adeílson Borges Alves
Av. Leovigildo Filgueiras, 270 – Garcia
40100-000 SALVADOR-BA

Fone: (71) 4009-6641/4009-6642/4009-6643 Fax: (71) 4009-6642
e-mail: terane3@arquidiocesesalvador.org.br
Para as circunscrições eclesiásticas de: Alagoinhas, Amargosa, Aracaju, Barra, Barreiras, Bom Jesus da Lapa, Bonfim, Caetité, Estância, Eunápolis, Feira de Santana, Ilhéus, Irecê, Itabuna, Jequié, Juazeiro, Livramento de Nossa Senhora, Paulo Afonso, Propriá, Rui Barbosa, Salvador, Serrinha, Teixeira de Freitas-Caravelas e Vitória da Conquista.

NORDESTE 4
10. Tribunal Regional e de Apelação de Teresina-PI
Vigário Judicial: Pe. João Pereira de Sousa
Av. Frei Serafim, 3200 64001-020
Caixa Postal: 70 64001-970 TERESINA-PI
Fone: (86) 2106-2150 Ramal 165 e 166 Fax: (86) 2106-2177
Para as circunscrições eclesiásticas de: Bom Jesus de Gurguéia, Campo Maior, Floriano, Oeiras, Parnaíba, Picos, São Raimundo Nonato e Teresina.

NORDESTE 5
11. Tribunal Regional de São Luís-MA
Vigário Judicial: Pe. Dr. Raimundo Gomes Meireles
Vigário Judicial Adjunto: Dom Xavier Gilles de Maupeou d'Albleiges
Pça. Pedro II, s/n / 65010-450
Caixa Postal: 336 / 65001-970 SÃO LUÍS-MA
Fone: (98) 3313-4159 / Fax: (98) 3313-4168
e-mail: tersaoluisnev@ibest.com.br
Para as circunscrições eclesiásticas de: Bacabal, Balsas, Brejo, Carolina, Caxias do Maranhão, Coroatá, Grajaú, Imperatriz, Pinheiro, São Luís, Viana e Zé Doca.

LESTE 1
12. Tribunal Interdiocesano de Niterói-RJ
Vigário Judicial: Pe. Pedro Paulo de Carvalho Rosa
Rua Gavião Peixoto, 250 – Icaraí
24230-103 NITERÓI-RJ
Fone: (21) 3602-1700 Fax: (21) 3602-1720
e-mail: tei.niteroi@gmail.com
Para as circunscrições eclesiásticas de: Campos, Niterói, Nova Friburgo, Petrópolis.

13. Tribunal Interdiocesano e de Apelação do Rio de Janeiro-RJ
Vigário Judicial: Pe. Dr. Mário Luiz Menezes Gonçalves
Rua Benjamim Constant, 23, Sala 509 – Glória
20241-150 RIO DE JANEIRO-RJ
Fones: (21) 3852-1794 / 2292-3132 Ramal 329/330/353/363

Fax: (21) 2252-0784
e-mail: tribunalrj@arquidiocese.org.br
Para as circunscrições eclesiásticas de: Administração Apostólica Pessoal São João Maria Vianney, Barra do Piraí-Volta Redonda, Duque de Caxias, Itaguaí, Nova Iguaçu, Ordinariado Militar do Brasil, São Sebastião do Rio de Janeiro e Valença.

LESTE 2
14. Tribunal da Arquidiocese de Belo Horizonte-MG
Vigário Judicial: Pe. Mário Sérgio Bittencourt de Carvalho
Av. Brasil, 2079 – 3º andar – Funcionários
30140-002 BELO HORIZONTE-MG
Fone: (31) 3269-3111
e-mail: tea@arquidiocesebh.org.br
Para a Cidade de Belo Horizonte e Municípios da Arquidiocese.

15. Tribunal da Diocese de Campanha-MG
Vigário Judicial: Mons. Giuseppe Ronchi
Rua João Luiz Alves, 106 – Centro
Caixa Postal 14 – 37400-000 CAMPANHA-MG
Fone: (35) 3261-1217 / Fax: (35) 3261-1956
e-mail: tribunaldacampanha@gmail.com
Para a cidade de Campanha e Municípios da Diocese.

16. Tribunal Interdiocesano e de Apelação de Diamantina – MG
Vigário Judicial: Pe. Dr. Frederico Martins e Silva
Rua do Contrato, 104 Centro
39100-000 Diamantina-MG
Fone/Fax: (38) 3531-1094
e-mail: tribunal@arquidiamantina.org.br
Para as circunscrições eclesiásticas de: Almenara, Araçuaí, Diamantina, Guanhães e Teófilo Otoni.

17. Tribunal da Diocese de Divinópolis-MG
Vigário Judicial: Pe. Dr. Vicente Ferreira de Lima
Rua Mato Grosso, 503 – Centro
35500-027 DIVINÓPOLIS-MG
Fone: (37) 3221-9197 / Fax: (37) 3214-3925
c-mail: tcddivinopolis@bol.com.br
Para a Cidade de Divinópolis e Municípios da Diocese e prorrogação de competência para Guaxupé e Oliveira.

18. Tribunal Interdiocesano e de Apelação de Juiz de Fora-MG
Vigário Judicial: Pe. Geraldo Luiz Alves Silva
Rua Santo Antônio, 1201 – Centro – Catedral Metropolitana

36016-210 JUIZ DE FORA-MG
Fone/Fax: (32) 3215-4085
e-mail: tribunal@arquidiocesejuizdefora.org.br
Para as circunscrições eclesiásticas de: Juiz de Fora, Leopoldina, São João del Rei.

19. Tribunal da Arquidiocese de Mariana-MG
Vigário Judicial: Pe. Roberto Natali Starlino
Rua Direita, 102 Caixa Postal 13
35420-000 MARIANA – MG
Fone/Fax: (31) 3557-3922
e-mail: arsiuris@bol.com.br ou temarianense@yahoo.com.br
Para a Cidade de Mariana e Municípios da Arquidiocese.

20. Tribunal Interdiocesano de Montes Claros-MG
Vigário Judicial: Pe. Joaquim Ferreira de Almeida
Praça Doutor Chaves, 52 Centro
39400-005 MONTES CLAROS – MG
Fone: (38) 3221-1132
Para as circunscrições eclesiásticas de: Janaúba, Januária, Montes Claros e Paracatu.

21. Tribunal da Arquidiocese de Pouso Alegre
Vigário Judicial: Côn. Mons. Vonilton Augusto Ferreira
Trav. Dr. Sílvio Fausto, 33 Centro
3755-000 POUSO ALEGRE – MG
Fone/Fax: (35) 3421-1248
e-mail: tribunalarquidiocesanopa@yahoo.com.br
Para a idade de Pouso Alegre e Municípios da Arquidiocese.

22 Tribunal Interdiocesano de Uberaba-MG
Vigário Judicial: D. Hugo C. da S. Cavalcante, OSB
Pça. Dom Eduardo, 56 Mercês
38060-280 UBERABA-MG
Fone: (34) 3312-9565 ou 3312-9155 Ramal 28 Fax: (34) 3338-5502
e-mail: contato@tribunalaclesiastico.org.br
www.tribunaleclesiastico.org.br
Para as circunscrições eclesiásticas de: Ituiutaba, Patos de Minas, Uberaba e Uberlândia.

23. Tribunal Interdiocesano e de Apelação de Vitória do Espírito Santo-ES
Vigário Judicial: Pe. Hiller Stefanon Sezini
Rua Soldado Abílio dos Santos, 47 – Centro

29015-620 VITÓRIA-ES
Fone: (27) 3223-6711 ramal 226 Fax: (27) 3223-1227
e-mail: teivitoriaes@aves.org.br
Para as circunscrições eclesiásticas de: Cachoeiro do Itapemirim, Colatina, São Mateus e Vitória.

SUL 1
24. Tribunal Interdiocesano e de Apelação de Aparecida-SP
Vigário Judicial: Côn. Carlos Antônio da Silva
Av. Júlio Prestes, S/N Torre da Basílica 7º andar Caixa Postal 50
12570-000 APARECIDA-SP
Fone: (12) 3105-2813 Fax: (12) 3105-2772
e-mail: tribunal@santuarionacional.com
Para as circunscrições eclesiásticas de: Aparecida, Caraguatatuba, Lorena, São José dos Campos e Taubaté.

25. Tribunal Interdiocesano de Botucatu-SP
Vigário Judicial: Pe. Dr. Carlos Roberto Santana da Silva
Rua D. José Lázaro Neves, 414
19814-391 ASSIS-SP
Fone: (18) 3322-5202
e-mail: tribunaldebotucatu@ig.com.br
Para as circunscrições eclesiásticas de: Araçatuba, Assis, Bauru, Botucatu, Lins, Marília, Ourinhos e Presidente Prudente.

26. Tribunal Interdiocesano de Campinas-SP
Vigário Judicial: Pe. Dr. Adriano Broleze
Rua Lumen Christi, 02 – Jardim das Palmeiras
13092-320 CAMPINAS-SP
Fone: (19) 3794-4661 Fax: (19) 3794-4667
e-mail: tribunal@arquidiocesanacampinas.com
Para as circunscrições eclesiásticas de: Amparo, Bragança, Campinas, Limeira, Piracicaba e São Carlos.

27. Tribunal Interdiocesano de Ribeirão Preto-SP
Vigário Judicial: Pe. Dr. Antônio Calos Santana, MPS
Rua Tibiriçá, 899 – Centro
14010 090 RIBEIRÃO PRETO-SP
Fone/Fax: (16) 3289-6550 / 3289-6551
e-mail: tribunalarp@hoymail.com
Para as circunscrições eclesiásticas de: Franca, Jaboticabal, Ribeirão Preto, e São João da Boa Vista.

28. Tribunal Interdiocesano de São José do Rio Preto-SP
Vigário Judicial: Pe. Claudinei de Freitas
Av. Constituição, 1372 – Boa Vista
15025-120 SÃO JOSÉ DO RIO PRETO-SP
Fone/Fax: (17) 2136-8690
e-mail: tribunal@catolico.org.br
Para as circunscrições eclesiásticas de: Barretos, Catanduva, Jales e São José do Rio Preto.

29. Tribunal Interdiocesano de São Paulo-SP
Vigário Judicial: Côn. Dr. Martin Segú Girona
Av. Higienópolis, 901
01238-001 SÃO PAULO-SP
Fone: (11) 3826-5143 / 3826-7159 / 3661-9133
Para as circunscrições eclesiásticas de: Campo Limpo, Guarulhos, Mogi das Cruzes, Osasco, Santo Amaro, Santo André, São Miguel Paulista, Santos e São Paulo.

30. Tribunal Interdiocesano de Sorocaba-SP
Vigário Judicial: Pe. Dr. João Carlos Orsi
Rua Pernambuco, 70 Centro
18035-460 SOROCABA-SP
Fone/Fax: (15) 3234-7484
e-mail: tribunal@arquidiocesesorocaba.org.br
Para as circunscrições eclesiásticas de: Itapetininga, Itapeva, Jundiaí, Registro e Sorocaba.

SUL 2
31. Tribunal Interdiocesano de Cascavel – PR
Vigário Judicial: Mons. Dr. José Ceschin
Rua: Rafael Picoli, 1565
Caixa Postal: 640 85802-970 CASCAVEL-PR
Fone/Fax: (45) 3038-6813
e-mail: teicascavel@hotmail.com
Para as circunscrições eclesiásticas de: Cascavel, Foz do Iguaçu, Palmas-Francisco Beltrão e Toledo.

32. Tribunal Interdiocesano e de Apelação de Curitiba-PR
Vigário Judicial: Pe. Antônio Carlos Baggio
Av. Jaime Reis, 369 80510-010
Caixa Postal: 1371 80001-970 CURITIBA-PR
Fone: (41) 3224-3921 Fax: (41) 2105-6315
e-mail: tribunal@arquidiocesecwb.org.br

Para as circunscrições eclesiásticas de: Curitiba, Guarapuava, Paranaguá, Ponta Grossa, Imaculada Conceição em Prudentópolis dos Ucranianos, Paranaguá, Ponta Grossa, São José dos Pinhais, São João Batista em Curitiba dos Ucranianos e União da Vitória.

33. Tribunal Interdiocesano e de Apelação de Londrina-PR
Vigário Judicial: Pe. José Antônio Pereira de Campos
Rua Dom Bosco, 145 – Jd. Dom Bosco
86060-240 LONDRINA-PR
Fone: (43) 3347-3141 Fax: (43) 3347-3241
e-mail: tribunaleclesiastico@gmail.com
Para as circunscrições eclesiásticas de: Apucarana, Cornélio Procópio, Jacarezinho e Londrina.

34. Tribunal Interdiocesano de Maringá-PR
Vigário Judicial: Mons. Marcos Aurélio Ramalho Leite
Rua Ver. Joaquim Pereira de Castro 267 Vila Santo Antônio
87030-170 MARINGÁ-PR
Fone: (44) 3028-6761
e-mail: teamaringa@gmail.com
Para as circunscrições eclesiásticas de: Campo Mourão, Maringá, Paranavaí e Umuarama.

SUL 3
35. Tribunal Interdiocesano de Passo Fundo (Norte – RS)
Vigário Judicial:
Rua Coronel Chicuta, 436 A – 4º andar Cx. Postal 230
99010-051 PASSO FUNDO-RS
Fone: (54) 3045-9224 Fax: (54) 3045-9222
e-mail: tribunaleclesiastico.pf@bol.com.br
Para as circunscrições eclesiásticas de: Erexim, Frederico Westphalen, Passo Fundo e Vacaria.

36. Tribunal Interdiocesano de Pelotas (Sul – RS)
Vigário Judicial: Pe. Mario Prebianca
Rua 7 de Setembro, Nº 145 96015-300 PELOTAS-RS
Fone: (53) 3229-2111 / Fax: (53) 3222-5109
Para as circunscrições eclesiásticas de: Bagé, Pelotas e Rio Grande.

37. Tribunal Interdiocesano de Porto Alegre (Leste – RS)
Vigário Judicial: Pe. Carlos José Monteiro Steffen
Praça Mons. Emílio Lottermann, 96
90560-050 PORTO ALEGRE-RS
Fone: (51) 3222-3988 R. 206 / Fax (51) 3222-4216
e-mail: eclesiapoa@gmail.com

Para as circunscrições eclesiásticas de: Caxias do Sul, Montenegro, Novo Hamburgo, Osório e Porto Alegre.

38. Tribunal Interdiocesano de Santa Maria (Centro-Oeste – RS)
Vigário Judicial: Pe. Ivo José Kreutz
Rua Sinval Saldanha, 256
98900-000 SANTA ROSA – RS
Fone: (55) 3512-7399
e-mail: casasacra@uol.com.br
Para as circunscrições eclesiásticas de: Cachoeira do Sul, Cruz Alta, Santa Cruz do Sul, Santa Maria, Santo Ângelo e Uruguaiana.

SUL 4
39. Tribunal Regional de Florianópolis-SC
Vigário Judicial: Pe. Dr. Tarcísio Pedro Vieira
Rua Dep. Antônio Edú Vieira, 1524 – Pantanal
88040-001 FLORIANÓPOLIS-SC
Fone/Fax: (48) 3304-3690
e-mail: tribunal@teif.org.br
Para as circunscrições eclesiásticas de: Blumenau, Caçador, Chapecó, Criciúma, Florianópolis, Joaçaba, Joinville, Lages, Rio do Sul e Tubarão.

OESTE 1 e OESTE 2
40. Regional de Campo Grande-MS
Vigário Judicial: Pe. Antônio Ribeiro Leandro
Rua Abílio Barbosa, 168 – São Francisco
79118-130 CAMPO GRANDE – MS
Fone/Fax: (67) 3314-7344
e-mail: tercg@starbox.com.br
Para as circunscrições eclesiásticas de: Barra do Garças, Campo Grande, Corumbá, Coxim, Cuiabá, Diamantino, Dourados, Jardim, Juína, Naviraí Primavera do Leste-Paranatinga, Rondonópolis-Guiratinga, São Félix, São Luís de Cáceres e Sinop e Três Lagoas.

NOROESTE
41. Tribunal Interdiocesano de Porto Velho-RO
Vigário Judicial: Pe. Eduardo Fabiano de Souza
Rua Carlos Gomes, 964 – Centro
78900-030 PORTO VELHO-RO
Fone/Fax: (69) 3221-2270
e-mail: teipvh@yahoo.com.br
Para as circunscrições eclesiásticas de: Cruzeiro do Sul, Guajará-Mirim, Humaitá, Ji-Paraná, Lábrea, Porto Velho, Rio Branco.

CENTRO-OESTE
42 Tribunal Interdiocesano e de Apelação de Brasília-DF
Vigário Judicial: Pe. Dr. Valdir Mamede
Esplanada dos Ministérios – EMI Lote 12 Edifício João Paulo II
70050-000 BRASÍLIA – DF
Fones: (61) 3213-3325/3213-3327 Fax: (61) 3213-3326
e-mail: teia-bsb@bol.com.br
    Para as circunscrições eclesiásticas de: Brasília, Formosa, Luziânia, Ordinariado Militar do Brasil e Uruaçu.

43. Tribunal Interdiocesano e de Apelação de Goiânia-GO
Vigário Judicial: Dom Adair José Guimarães
Rua 93 N° 168 Setor Sul
74083-120 GOIÂNIA – GO
Fone: (62) 3223-2412 Fax: (62) 3229-1451
e-mail: teiaaudiencia@arquidiocesedegoiania.org.br
    Para as circunscrições eclesiásticas de: Anápolis, Goiás, Goiânia, Ipameri, Itumbiara, Jataí, Rubiataba-Mozarlândia e São Luís de Montes Belos.

44. Tribunal Interdiocesano e de Apelação de Palmas-TO
Vigário Judicial: Pe. Sebastião Costa de Lima
504 Sul Alameda 04 Lote 62
77.130-290 PALMAS-TO
Fone/Fax: (63) 3218-8424
    Para as circunscrições eclesiásticas: Cristalândia, Miracema do Tocantins, Palmas, Porto Nacional e Tocantinópolis.

NOROESTE
45. Tribunal Interdiocesano de Porto Velho-RO
Vigário Judicial: Pe. Eduardo Fabiano de Souza
Rua Carlos Gomes, 964 – Centro 78900-030 PORTO VELHO-RO
Fone/Fax: (69) 3221-2270
e-mail: teipvh@yahoo.com.br
    Para as circunscrições eclesiásticas de: Cruzeiro do Sul, Guajará-Mirim, Humaitá, Ji-Paraná, Lábrea, Porto Velho, Rio Branco.

2. Tribunais de Segunda Instância

1. Tribunal de Apelação de Belém-PA
Vigário Judicial: Frei Nestor Windolph, OFM
Av. Gov. José Malcher, 915 – Nazaré
66055-260 BELÉM – PA
Fone/Fax: (91) 3215-7001/3215-7002/3215-7003
dos Tribunais Interdiocesanos de Belém-PA, Bragança do Pará-PA, Macapá-AP e Santarém-PA.

2. Tribunal Regional e de Apelação de Fortaleza-CE
dos Tribunais Regionais e de Apelação de Olinda e Recife-PE e de Teresina-PI.

3. Tribunal Regional e de Apelação de Olinda e Recife-PE
do Tribunal Regional e de Apelação de São Salvador-BA.

4. Tribunal Regional e de Apelação de São Salvador-BA
do Tribunal Regional e de Apelação de Fortaleza-CE.

5. Tribunal Regional e de Apelação de Teresina-PI
do Tribunal Regional de São Luís-MA.

6. Tribunal Regional e de Apelação do Rio de Janeiro-RJ
dos Tribunais Interdiocesanos de Campinas-SP e Niterói-RJ.

7. Tribunal Interdiocesano e de Apelação de Belo Horizonte-MG
Vigário Judicial: Pe. Peter Mettler,
Rua Carioca, 814 – Minas Brasil
30730-420 BELO HORIZONTE-MG
Fones: (31) 3412-8501 / 3376-1976
e-mail: secretariatribunal@cnbbleste2.org.br
do Tribunal Interdiocesano e de Apelação de Aparecida-SP, do Tribunal da Arquidiocese de Belo Horizonte-MG, do Tribunal da Diocese de Divinópolis-MG, do Tribunal Interdiocesano e de Apelação de Goiânia-GO e do Tribunal da Arquidiocese de Mariana-MG.

8. Tribunal Interdiocesano e de Apelação de Juiz de Fora-MG
do Tribunal da Arquidiocese de Diamantina-MG.

9. Tribunal Interdiocesano e de Apelação de Vitória do Espírito Santo
do Tribunal da Diocese de Cachoeiro do Itapemirim-ES.

10. Tribunal Interdiocesano e de Apelação de Aparecida-SP
do Tribunal Interdiocesano de São José do Rio Preto-SP e do Tribunal Interdiocesano e de Apelação de Vitória do Espírito Santo-ES.

11. Tribunal de Apelação de São Paulo-SP
Vigário Judicial: Mons. José Augusto Schramm Brasil
Av. Higienópolis, 901
01238-001 SÃO PAULO – SP
Fone: (11) 3826-5143
do Tribunal Interdiocesano e de Apelação de Belo Horizonte-MG, do Tribunal Regional de Campo Grande-MS e dos Tribunais Interdiocesanos de Botucatu-SP, de São Paulo-SP e de Sorocaba-SP.

12. Tribunal Interdiocesano e de Apelação de Curitiba-PR
do Tribunal Regional de Florianópolis-SC, do Tribunal Interdiocesano e de Apelação de Brasília-DF e do Tribunal Interdiocesano de Cascavel-PR.

13. Tribunal Interdiocesano e de Apelação de Londrina-PR
dos Tribunais Interdiocesanos de Maringá e Porto Velho-RO.

14. Tribunal de Apelação de Porto Alegre-RS
Vigário Judicial: Pe. Inácio José Schuster
Av. Cristóvão Colombo, 149
90560-003 PORTO ALEGRE – RS
Fones: (51) 3225-8483/3224 – Fax: 3224-9833
e-mail: tersul3@portoweb.com.br

do Tribunal Interdiocesano e de Apelação de Curitiba-PR e dos Tribunais Interdiocesanos de Passo Fundo-RS, Pelotas-RS, Porto Alegre-RS e de Santa Maria-RS.

15. Tribunal Interdiocesano e de Apelação de Brasília-DF
dos Tribunais Interdiocesanos de Manaus-AM, Montes Claros-MG e Palmas-TO e do Tribunal
Interdioceseano e de Apelação de Londrina-PR.

16. Tribunal Interdiocesano e de Apelação de Goiânia-GO
do Tribunal Interdiocesano de Uberaba-MG.

Apêndice III
MODELO SUMÁRIO DE UMA CARTA
PARA A INTRODUÇÃO DE UMA CAUSA[8]

Cidade, dia, mês e ano.

Ao Exmo. e Rev^{mo}. Sr. (Arce)Bispo de ... (nome da cidade onde tem sede o Tribunal)

.... (nome da parte *Demandante*), filho(a) de ... e ..., nascido(a) aos ... de ... de ..., em ..., católico(a) praticante (ou não), de profissão ..., residente e domiciliado(a) à R. ..., n. ..., em .... (nome da cidade), Paróquia ..., Diocese de ..., vem mui respeitosamente solicitar a declaração de nulidade de seu matrimônio com .... (nome da parte *Demandada*), filho(a) de ... e ..., nascido(a) aos ... de ... de ..., em ..., católico(a)[9] praticante (ou não), de profissão ..., residente e domiciliado à R. ..., n. ..., em .... (nome da cidade), Paróquia ..., Diocese de ..., celebrado na Paróquia ..., aos ..., de ... de ..., Diocese de ..., pelos motivos que seguem:

Conheci ... (aqui são colocados os fatos com seus pormenores e circunstâncias relevantes, em ordem cronológica, seguindo a sequência das perguntas que estão nas páginas 22 a 24).

(Assinatura da parte Demandante)

---

[8] Esse modelo segue os dados apresentados e solicitados no item 9. *Roteiro para a elaboração do Libelo de Demanda* (como escrever a carta pedindo a abertura do processo, página 21). Como conselho de ordem prática, ao escrever a carta sigam-se as seguintes etapas: Seguindo as perguntas indicadas, escrever tudo o que vem à memória, assim como vier; deixar o escrito de lado por uns três dias. Reler o que se escreveu, fazendo as correções oportunas; deixar o escrito de lado por outros três dias. Fazer a redação final.

[9] Caso a parte Demandada não seja católica, indique a religião à qual pertence.

BIBLIOGRAFIA

Fontes:

Código de Direito Canônico - 1917, Edição Bilíngue comentada, BAC, 1952.
Código de Direito Canônico - 1983, Edição Bilíngue comentada, BAC, 1991.
Código dos Cânones das Igrejas Orientais, Edição Bilíngue comentada, BAC, 1994.
Conferência Nacional dos Bispos do Brasil, *Comunicado Mensal da CNBB,* setembro de 1973.
. *Guia Ecumênico,* Col. Estudos da CNBB n. 21.
. *Igreja no Brasil Diretório Litúrgico,* 1999.

Autores:

ARZA ARTEGA, A. Afinidade in *Dicionário de Direito Canônico,* Ed. Loyola, 1993.
. Consanguinidade in *ibidem.*
. Conjungicídio in *ibidem.*
. Disparidade de Culto in *ibidem.*
. Honestidade Pública in *ibidem.*
. Ordem Sagrada in *ibidem.*
. Parentesco Legal in *ibidem.*
. Rapto in *ibidem.*
. Votos Religiosos: Impedimento Matrimonial in *ibidem.*
CHIAPPETTA, L. *Dizionario del Nuovo Codice di Diritto Canonico,* Ed. Dehonianne, 1986.
. *Il Matrimonio,* Ed. Dehonianne, 1990.
. *Prontuario di Diritto Canonico e Concordatario,* Ed. Dehonianne, 1994.
. Sommario di Diritto Canonico e Concordatário, Ed. Dehonianne, 1995.

DE PAOLIS, V. Dolo in *Dicionário de Direito Canônico,* Ed. Loyola, 1993.
HORTAL, J. *"O Que Deus Uniu"*. *Lições de Direito Matrimonial Canônico,* Ed. Loyola, 1983.
MAHFOUZ, J. *Orientações Gerais sobre a Celebração de Casamentos entre Orientais no Brasil.*
PÉREZ LLANDA, J. Matrimônio Misto in *Dicionário de Direito Canônico,* Ed. Loyola, 1993.
PRADER, J. *Il Matrimonio in Oriente e Ocidente,* Roma, 1992.
VELA SÁNCHEZ, L. Condição in *Dicionário de Direito Canônico,* Ed. Loyola, 1993.
. Erro na Pessoa in *ibidem.*
. Erro nas Propriedades do Matrimônio in *ibidem.*
. Esterilidade in *ibidem.*
. Idade in *ibidem*
. Impotência in *ibidem.*
. Incapacidade in *ibidem.*
. Medo in *ibidem.*
. Vínculo ou Ligame in *ibidem.*
. Violência in *ibidem.*

ÍNDICE

Apresentação 5
Introdução 7

I. A função judicial na Igreja 11
   1. Os Tribunais Eclesiásticos 11
   2. Ofícios e funções existentes nos Tribunais 12
   3. Do Tribunal competente nas causas
de nulidade matrimonial 14
   4. Duração das causas de nulidade matrimonial 14
   5. Os principais passos de um processo
de nulidade matrimonial 15
   6. As custas processuais 17
   7. Elementos processuais especiais 18
   8. Roteiro para a elaboração do Libelo de Demanda 21

II. Capítulos de Nulidade 27
   1. Afinidade 27
   2. Consanguinidade 27
   3. Parentesco legal 28
   4. Honestidade pública 29
   5. Conjungicídio 29
   6. Disparidade de culto 30
   7. Idade 31
   8. Esterilidade 32
   9. Impotência 33
   10. Ordem sacra 33
   11. Votos religiosos 34
   12. Rapto 34

13. Vínculo 35
14. Condição 36
15. Dolo 37
16. Erro na pessoa 37
17. Erro nas propriedades essenciais do Matrimônio ... 38
18. Incapacidade 38
19. Medo 40
20. Violência 40

III. Forma de celebração do Matrimônio 41

IV. Apêndices 45
  Apêndice I: Matrimônio de católicos orientais no Brasil 45
  Apêndice II: Tribunais Eclesiásticos do Brasil 48
  Apêndice III: Modelo sumário de uma carta para a introdução de uma causa 60

Bibliografia 61